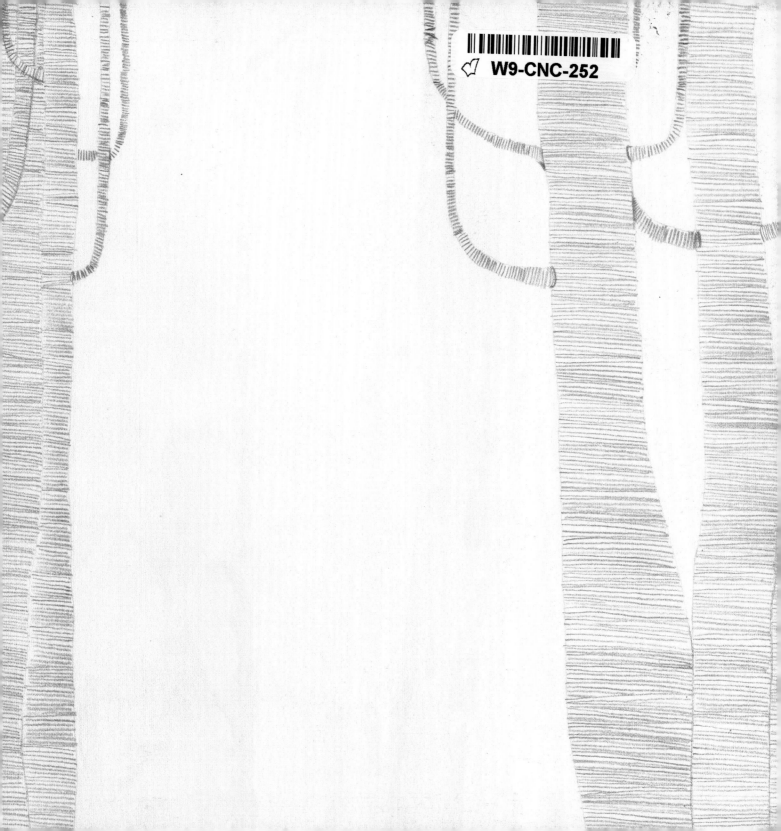

Sistema de clasificación Melvil Dewey

158.2
D7
2013   Dreser, Elena
            Federico & Federico / Elena Dreser ; ilus. Olaberria, Beñat.—
        México : Amaquemecan, 2013.
        [32] p. : il.

        ISBN: 978-607-95917-3-1
        ISBN: 978-607-95917-4-8 Tapa dura

        1. Relaciones interpersonales-relato. 2. Relación Abuelo - nieto
        3. Literatura infantil. I. Beñat, Olaberria il. II t. III. Ser.

Primera edición Juan José Salazar Embarcadero, 2013

D. R. © Juan José Salazar Embarcadero, 2013
        Insurgentes Sur 4411, 33-504, La Joya,
        Tlalpan, 14430, México, D. F.

        Tel. 55737900
        amaquemecan@telmexmail.com
        www.amaquemecan.com.mx

ISBN: 978-607-95917-3-1
ISBN: 978-607-95917-4-8 Tapa dura

Impreso en México

Federico & Federico

Elena Dreser   Beñat Olaberría

amaquemecan

Me llamo Federico, igual que mi abuelo. Para no confundirnos, la familia nos llama: Federico Nieto y Federico Abuelo.

Él y yo nos llevamos súper bien, aprendemos mucho uno del otro. Mi abuelo me enseña a mí; y yo también le enseño a él.

Federico Abuelo es un hombre sabio: me da lecciones de historia, de ciencia, de arte... ¡Sabe tanto mi abuelo!

Rápido, encuentra cualquier palabra en el diccionario. Pero las letras pequeñas, tiene que leerlas Federico Nieto. O sea: yo.

Es capaz de explicarme todos los beneficios de cada vitamina que toma. Sólo que al tratar de abrir esos frascos con seguro para niños, busca ayuda de Federico Nieto.

Me indica cómo preparar la tierra donde sembrar:
¡mi abuelo es un experto! Nada más que si el sobre
de las semillas viene escrito en inglés, ¿quién debe
traducir? ¡Federico Nieto!

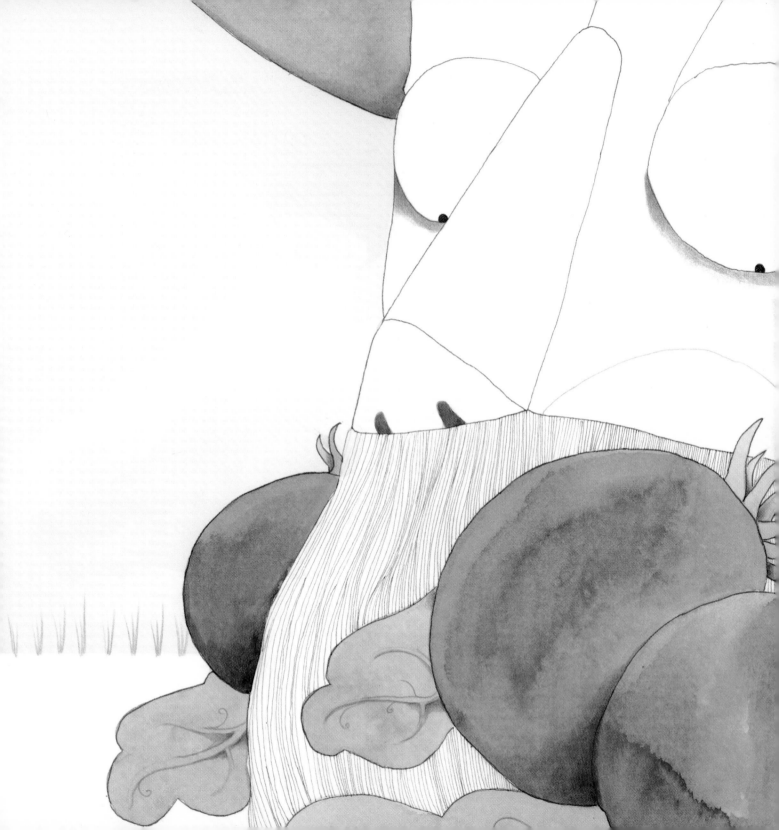

Reconoce la música de Bach, Mozart, Vivaldi... Me habla de los Rolling Stones, los Beatles, Elvis Presley... Aunque si quiere escuchar un disco, ¿a quién le pide manejar el nuevo aparato?

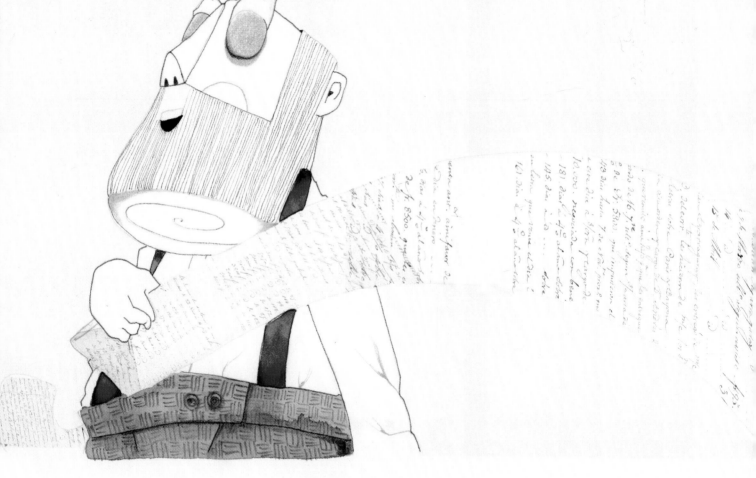

Mi abuelo domina las reglas de ortografía y puntuación, ¡sabe redactar perfecto! Pero cada vez que necesita contestar una carta en la computadora, ¿a quién llama?

Entiende mucho de anzuelos: él decide cuál usar con cada tipo de peces. ¡Parece un capitán! Sólo que al enganchar la carnada, hacen falta dedos pequeños. ¿Entonces, quién entra en acción?

Mi abuelo y yo formamos un gran equipo. No sé porqué los demás no lo comprenden. ¡Hasta se preocupan cuando nos dejan solos!

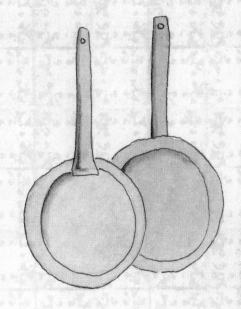

Papá siempre dice: "¿Quién cuidará a quién: Federico Abuelo a Federico Nieto, o Federico Nieto a Federico Abuelo?" Mamá contesta: "¡Buena pregunta!"

Y allá se van con cara de tragedia. Tal vez, creen que terminaremos por incendiar la casa o algo así.

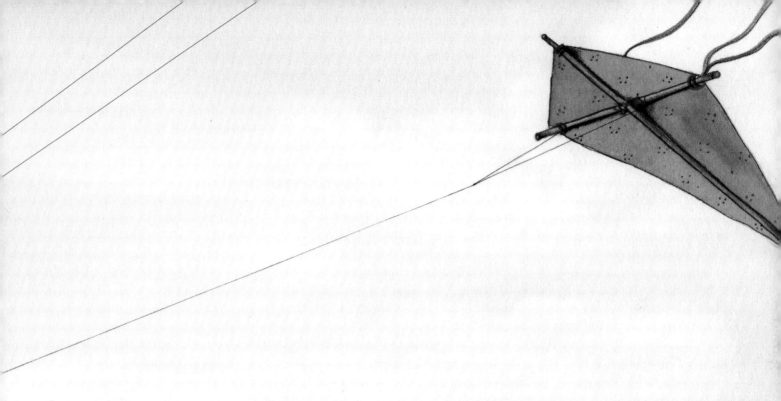

No se les ocurre que él y yo somos felices juntos, porque nos acompañamos y aprendemos uno del otro. Mi abuelo me enseña a mí; y yo también le enseño a él.

O lo que es igual: a veces, Federico Abuelo es maestro de Federico Nieto; y a veces, Federico Nieto es maestro de Federico Abuelo.

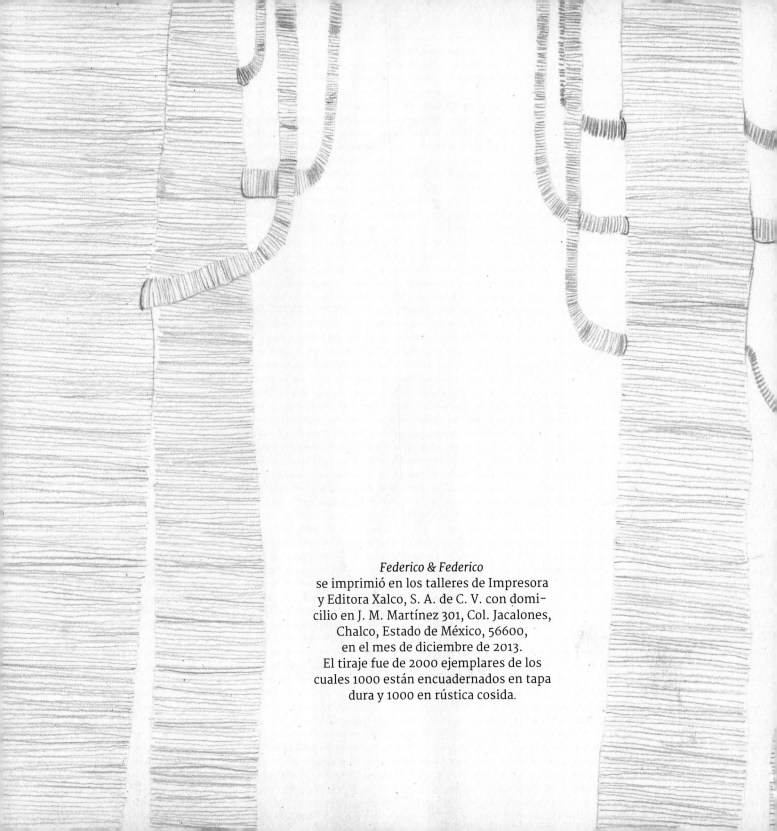

Federico & Federico
se imprimió en los talleres de Impresora
y Editora Xalco, S. A. de C. V. con domi-
cilio en J. M. Martínez 301, Col. Jacalones,
Chalco, Estado de México, 56600,
en el mes de diciembre de 2013.
El tiraje fue de 2000 ejemplares de los
cuales 1000 están encuadernados en tapa
dura y 1000 en rústica cosida.